D0582420

Les Berceuses

FEDERICO GARCÍA LORCA

Las Nanas infantiles

ÉDITIONS ALLIA
16, RUE CHARLEMAGNE, PARIS IVe
2009

FEDERICO GARCÍA LORCA

Les Berceuses

Traduit de l'espagnol par

LINE AMSELEM

ÉDITIONS ALLIA

16, RUE CHARLEMAGNE, PARIS IVe

2009

TITRE ORIGINAL
Las Nanas infantiles

Las Nanas infantiles (*Les Berceuses*) a paru pour la première fois en 1942, dans les *Œuvres complètes* de Federico García Lorca, publiées aux éditions Losada, à Buenos Aires.

SEÑORAS Y SEÑORES:

En esta conferencia no pretendo, como en las anteriores, definir, sino subrayar; no quiero dibujar, sino sugerir. Animar, en su exacto sentido. Herir pájaros soñolientos. Donde haya un rincón oscuro, poner un reflejo de nube alargada y regalar unos cuantos espejos de bolsillo a las señoras que asisten.

He querido bajar a la ribera de los juncos. Por debajo de las tejas amarillas. A la salida de las aldeas, donde el tigre se come a los niños. Estoy en este momento lejos del poeta que mira el reloj, lejos del poeta que lucha con la estatua, que lucha con el sueño, que lucha con la anatomía. He huido de todos mis amigos y me voy con aquel muchacho que se come la fruta verde y mira cómo las hormigas devoran al pájaro aplastado por el automóvil.

Por las calles más puras del pueblo me encontraréis; por el aire viajero y la luz tendida de las melodías que Rodrigo Caro llamó "reverendas madres de todos los cantares". Por todos los sitios donde se abre la tierna orejita rosa del niño o la blanca orejita de la niña que

MESDAMES ET MESSIEURS,

Dans cette conférence, mon intention n'est pas, comme dans celles que j'ai données précédemment, de définir, mais de souligner ; je ne veux pas dessiner mais suggérer. Animer, au sens premier du terme. Blesser des oiseaux ensommeillés. Placer, là où il y aurait un coin sombre, le reflet d'un long nuage et offrir quelques miroirs de poche aux dames de l'assistance.

J'ai voulu descendre jusqu'aux joncs de la rive. Plus bas que les tuiles jaunes. A la sortie des villages, là où le tigre mange les enfants. A présent, je suis loin du poète qui regarde sa montre, loin du poète qui lutte contre la statue, qui lutte contre le sommeil, qui lutte contre l'anatomie. J'ai fui tous mes amis pour suivre ce garçon qui mange des fruits verts et qui regarde les fourmis dévorer un oiseau écrasé par une auto.

C'est dans les rues les plus pures du village que vous me trouverez ; dans le vent voyageur et la lumière étale des mélodies que Rodrigo Caro a appelées "mères vénérables de tous les chants". Partout où s'ouvre la petite oreille tendre et rose d'un garçonnet ou la petite

espera, llena de miedo, el alfiler que abra el agujero para la arracada.

En todos los paseos que yo he dado por España, un poco cansado de catedrales, de piedras muertas, de paisajes con alma, me puse a buscar los elementos vivos, perdurables, donde no se hiela el minuto, que viven un tembloroso presente. Entre los infinitos que existen, yo he seguido dos : las canciones y los dulces. Mientras una catedral permanece clavada en su época, dando una expresión continua del ayer al paisaje siempre movedizo, una canción salta de pronto de ese ayer a nuestro instante, viva y llena de latidos como una rana, incorporada al panorama como arbusto reciente, trayendo la luz viva de las horas viejas, gracias al soplo de la melodía.

Todos los viajeros están despistados. Para conocer la Alhambra de Granada, por ejemplo, antes de recorrer sus patios y sus salas, es mucho más útil, más pedagógico, comer el delicioso alfajor de Zafra o las tortas alajú de las monjas, que dan, con la fragancia y el sabor, la temperatura auténtica del palacio cuando

oreille blanche d'une fillette qui attend, pleine de crainte, l'épingle qui la percera pour recevoir une boucle.

A chaque fois que je me suis promené à travers l'Espagne, un peu las de cathédrales, de pierres mortes et de paysages chargés d'âme, je me suis mis à rechercher les éléments vivants, durables, dans lesquels l'instant ne se fige pas et qui vivent un présent vibrant. Parmi la quantité infinie de ceux qui existent, j'en ai privilégié deux : les chansons et les confiseries. Alors qu'une cathédrale demeure enracinée dans son époque, et donne une expression permanente du passé au paysage qui, lui, change toujours, une chanson surgit tout à coup de ce passé jusqu'à notre présent, vivante et palpitante, comme une grenouille, et s'intègre dans le paysage, comme un jeune arbuste, apportant la lumière vive des heures anciennes, grâce au souffle de la mélodie.

Tous les voyageurs font fausse route. Pour connaître l'Alhambra de Grenade, par exemple, plutôt que d'en visiter les patios et les salles, il est beaucoup plus utile et plus pédagogique de manger de délicieux macarons, comme l'*alfajor* de Zafra ou les galettes *alajú* faites par les bonnes sœurs. Car ils donnent, autant que le parfum et la saveur, la tempéra-

estaba vivo, así como la luz antigua y los puntos cardinales del temperamento de su corte.

En la melodía, como en el dulce, se refugia la emoción de la historia, su luz permanente sin fechas ni hechos. El amor y la brisa de nuestro país vienen en las tonadas o en la rica pasta del turrón, trayendo vida viva de las épocas muertas, al contrario de las piedras, las campanas, las gentes con carácter y aun el lenguaje.

La melodía, mucho más que el texto, define los caracteres geográficos y la línea histórica de una región, y señala de manera aguda momentos definidos de un perfil que el tiempo ha borrado. Un romance, desde luego, no es perfecto hasta que no lleva su propia melodía, que le da la sangre y la palpitación y el aire severo o erótico donde se mueven los personajes.

La melodía latente, estructurada con sus centros nerviosos y sus ramitos de sangre, pone vivo calor histórico sobre los textos que a veces pueden estar vacíos y otras veces no tienen más valor que el de simples evocaciones.

ture authentique du palais à l'époque où il était encore vivant, de même que la lumière ancienne et les points cardinaux du tempérament de sa cour.

C'est dans la mélodie, comme dans les douceurs, que se réfugie l'émotion de l'histoire, sa lumière permanente sans faits ni dates. L'amour et le vent frais de notre pays se trouvent dans nos refrains ou dans la pâte savoureuse de notre nougat qui transmettent toute vivante la vie des époques mortes, contrairement aux pierres, aux cloches, aux gens qui ont du caractère et même au langage.

La mélodie, bien plus que le texte, définit les caractéristiques géographiques et la ligne historique d'une région et signale avec acuité certains des moments particuliers d'un profil que le temps a émoussé. Un poème tel que le *romance*, en tout cas, n'est parachevé que lorsqu'il est accompagné de sa propre mélodie, qui lui donne son sang et sa palpitation et l'air austère ou érotique dans lequel évoluent ses personnages.

La mélodie latente, structurée par ses centres nerveux et ses petits bouquets de sang, ajoute une vive chaleur historique aux textes qui quelquefois peuvent être creux et d'autres fois ne vont guère plus loin que de simples évocations.

Antes de pasar adelante debo decir que no pretendo dar en la clave de las cuestiones que trato. Estoy en un plano poético donde el sí y el no de las cosas son igualmente verdaderos. Si me preguntan ustedes: "¿una noche de luna de hace cien años es idéntica a una noche de luna de hace diez años?", yo podría demostrar (y como yo otro poeta cualquiera, dueño de su mecanismo) que era idéntica y que era distinta de la misma manera y con el mismo acento de verdad indiscutible. Procuro evitar el dato erudito que, cuando no tiene gran belleza, cansa a los auditorios y, en cambio, persigo subrayar el dato de emoción, porque a vosotros os interesa más saber si de una melodía brota una brisa tamizada que incita al sueño o si una canción puede poner un paisaje simple delante de los ojos recién cuajados del niño, que saber si esa melodía es del siglo XVII o si está escrita en tres por cuatro, cosa que el poeta debe saber, pero no repetir, y que realmente está al alcance de todos los que se dedican a estas cuestiones.

Hace unos años, paseando por las inmediaciones de Granada, oí cantar a una mujer del pueblo mientras dormía a su niño. Siempre había notado la aguda tristeza de las canciones

Avant de poursuivre, je dois dire que je ne prétends pas donner la solution des sujets que je traite. Je me situe sur un plan poétique où le oui et le non sont aussi vrais l'un que l'autre. Si vous me demandez : "Un clair de lune d'il y a cent ans est-il identique à un clair de lune d'il y a dix ans ?", je pourrais démontrer (tout comme n'importe quel poète en possession de sa mécanique) qu'ils étaient identiques et qu'ils étaient différents, de la même manière et avec le même accent de vérité indiscutable. Je tente d'éviter les éléments d'érudition qui, s'ils ne sont pas d'une grande beauté, lassent l'auditoire et, en revanche, je m'attache à souligner les éléments d'émotion. Car vous gagnerez plus à savoir s'il naît d'une mélodie un souffle tamisé qui incite à dormir, ou si une chanson peut mettre un paysage simple devant les yeux à peine endormis d'un enfant, plutôt que de savoir si cette mélodie est du XVIIe siècle, ou si elle a été composée avec des mesures à quatre temps, toutes choses que le poète doit savoir, mais pas les répéter et qui sont réellement à la portée de tous ceux qui s'occupent de ces questions.

Il y a quelques années, en me promenant dans les alentours de Grenade, j'ai entendu une femme du peuple chanter pendant qu'elle faisait dormir son enfant. J'avais remarqué depuis

de cuna de nuestro país; pero nunca como entonces sentí esta verdad tan concreta. Al acercarme a la cantora para anotar la canción, observé que era una andaluza guapa, alegre, sin el menor tic de melancolía; pero una tradición viva obraba en ella y ejecutaba el mandato fielmente, como si escuchara las viejas voces imperiosas que patinaban por su sangre. Desde entonces he procurado recoger canciones de cuna de todos los sitios de España; quise saber de qué modo dormían a sus hijos las mujeres de mi país, y al cabo de un tiempo, recibí la impresión de que España usa sus melodías de más acentuada tristeza y sus textos de expresión mas melancólica para teñir el primer sueño de sus niños. No se trata de un modelo o de una canción aislada en una región, no; todas las regiones acentúan sus caracteres poéticos y su fondo de tristeza en esta clase de cantos, desde Asturias y Galicia hasta Andalucía y Murcia, pasando por el azafrán y el modo yacente de Castilla.

Existe una canción de cuna europea suave y monótona, a la cual puede entregarse el niño con toda fruición, desplegando todas sus aptitudes para el sueño. Francia y Alemania

toujours l'extrême tristesse des berceuses de notre pays, mais jamais comme alors je n'ai senti aussi concrètement cette vérité. En m'approchant de la chanteuse pour prendre en note sa chanson, j'ai observé que c'était une Andalouse belle, joyeuse, sans le moindre tic de mélancolie ; mais une tradition vivante œuvrait en elle, et elle lui obéissait fidèlement, comme si elle écoutait les vieilles voix impérieuses qui patinaient sur son sang. Depuis lors, je me suis attaché à recueillir les berceuses de partout en Espagne.

J'ai voulu savoir de quelle façon les femmes de mon pays endormaient leurs petits et, au bout d'un certain temps, j'en ai retiré l'impression que l'Espagne emploie ses mélodies les plus intensément tristes pour imprégner les premiers instants du sommeil de ses enfants. Il ne s'agit pas d'un modèle ou d'une chanson isolée dans une région, non ; toutes les régions accentuent leur caractère poétique et leur fonds de tristesse dans ce type de chants, depuis les Asturies et la Galice jusqu'à l'Andalousie et Murcie, en passant par le safran et l'attitude gisante de la Castille.

Il existe une berceuse européenne douce et monotone, à laquelle l'enfant peut s'abandonner avec une délectation totale, en déployant toutes ses aptitudes pour le sommeil. La France

ofrecen característicos ejemplos, y entre nosotros, los vascos dan la nota europea con sus nanas de un lirismo idéntico al de las canciones nórdicas, llenas de ternura y amable simplicidad.

La canción de cuna europea no tiene más objeto que dormir al niño, sin que quiera, como la española, herir al mismo tiempo su sensibilidad.

El ritmo y la monotonía de estas canciones de cuna que llamo europeas, las pueden hacer aparecer como melancólicas, pero no lo son por sí mismas; son melancólicas accidentalmente como un chorro de agua o el temblor de unas hojas en determinado momento. No podemos confundir monotonía con melancolía. El cogollo de Europa tiende grandes telones grises ante sus niños para que duerman tranquilamente. Doble virtud de lana y esquila. Con el mayor tacto.

Las canciones de cuna rusas que conozco, aun teniendo el oblicuo y triste rumor eslavo, pómulo y lejanía, de toda su música, no poseen la claridad sin nubes de las españolas, el sesgo profundo, la sencillez patética que nos caracterizan. La tristeza de la canción de cuna rusa puede soportarla el niño como se soporta un

et l'Allemagne en offrent des exemples caractéristiques et, chez nous, ce sont les Basques qui font figure d'Européens avec leurs berceuses au lyrisme identique à celui des chansons nordiques, pleines de tendresse et d'aimable simplicité.

La berceuse européenne vise uniquement à faire dormir l'enfant, malgré lui, alors que celle d'Espagne cherche en même temps à heurter sa sensibilité.

Le rythme et la monotonie de ces chansons que j'appelle européennes peuvent les faire paraître mélancoliques, mais elles ne le sont pas par elles-mêmes ; elles sont mélancoliques par accident, comme de l'eau qui coule ou des feuilles qui tremblent à un moment donné. Nous ne pouvons pas confondre monotonie et mélancolie. Le cœur de l'Europe place de grands rideaux gris devant ses enfants pour qu'ils dorment tranquillement. Double efficacité de laine et de clochette. Avec la plus grande délicatesse.

Les berceuses russes que je connais, bien qu'elles possèdent le triste et oblique murmure slave – pommettes et lointain – de toute la musique de la région, n'ont pas la clarté sans nuages des berceuses espagnoles, ce biais profond, la simplicité pathétique qui nous caractérisent. L'enfant peut supporter la tristesse de la

día de niebla detrás de los cristales; pero en España no. España es el país de los perfiles. No hay términos borrosos por donde se pueda huir al otro mundo. Todo se dibuja y limita de la manera más exacta. Un muerto es más muerto en España que en cualquiera otra parte del mundo. Y el que quiere saltar al sueño, se hiere los pies con el filo de una navaja barbera.

No quiero que crean ustedes que vengo a hablar de la España negra, la España trágica, etc., etc., tópico demasiado manoseado y sin eficacia literaria por ahora. Pero el paisaje de las regiones que más trágicamente la representan, que son aquellas donde se habla el castellano, tiene el mismo acento duro, la misma originalidad dramática y el mismo aire enjuto de las canciones que brotan en él. Siempre tendremos que reconocer que la belleza de España no es serena, dulce, reposada, sino ardiente, quemada, excesiva, a veces sin órbita; belleza sin la luz de un esquema inteligente donde apoyarse y que, ciega de su propio resplandor, se rompe la cabeza contra las paredes.

Se pueden encontrar en el campo español ritmos sorprendentes o construcciones melódicas

berceuse russe, comme on supporte un jour de brouillard derrière les carreaux, mais pas en Espagne. L'Espagne est le pays des contours. On n'y trouve pas de démarcation floue par où l'on pourrait s'échapper vers l'autre monde. Tout se dessine et se délimite de la façon la plus exacte. Un mort est plus mort en Espagne que partout ailleurs au monde. Et qui veut sauter dans le sommeil se blesse les pieds sur le fil d'un rasoir.

Je ne veux pas que vous pensiez que je viens vous parler de la légende noire de l'Espagne, de l'Espagne tragique, etc., etc., ce sont des clichés trop galvaudés et sans efficacité littéraire pour l'instant. Mais le paysage des régions qui la représentent le plus tragiquement – c'est-à-dire celles où l'on parle le castillan – a le même accent rude, la même originalité dramatique, et le même air aride que les chansons qui y naissent. Il nous faudra toujours reconnaître que la beauté de l'Espagne n'est pas sereine, douce, apaisée, mais ardente, à vif, excessive, quelquefois sans orbite ; une beauté dépourvue des lumières d'un cadre intelligent sur lequel on puisse prendre appui, et qui, aveuglée par son propre éclat, se fracasse la tête contre les murs.

On peut trouver dans la campagne espagnole des rythmes surprenants ou des constructions

llenas de un misterio y una antigüedad que escapa a nuestro dominio; pero nunca encontraremos un solo ritmo elegante, es decir, consciente de sí mismo, que se vaya desarrollando con serenidad querida aunque brote del pico de una llama.

Pero aun dentro de esta tristeza sobria, o este furor rítmico, España tiene cantos alegres, chanzas, bromas, canciones de delicado erotismo y encantadores madrigales. ¿Cómo ha reservado para llamar al sueño del niño lo más sangrante, lo menos adecuado para su delicada sensibilidad?

No debemos olvidar que la canción de cuna está inventada (y sus textos lo expresan) por las pobres mujeres cuyos niños son para ellas una carga, una cruz pesada, con la cual muchas veces no pueden. Cada hijo, en vez de ser una alegría, es una pesadumbre, y naturalmente, no pueden dejar de cantarles, aun en medio de su amor, su desgana de la vida.

Hay ejemplos exactos de esta posición, de este resentimiento contra el niño que ha llegado cuando, aun queriendo la madre, no ha debido llegar de ninguna manera. En Asturias se canta esto en el pueblo de Navia:

mélodiques pleines d'un mystère et d'une ancienneté insaisissables, mais jamais on ne trouvera le moindre rythme élégant, c'est-à-dire conscient de lui-même, qui se développe avec une sérénité voulue, quand bien même il jaillirait du bout d'une flamme.

Mais au sein même de cette tristesse sobre, ou de cette fureur rythmique, l'Espagne a des chants joyeux, amusants, moqueurs, des chansons d'un érotisme délicat ou de charmants madrigaux. Pourquoi donc a-t-elle réservé, pour susciter le sommeil des enfants, ce qu'il y a de plus sanglant, de moins indiqué pour leur délicate sensibilité ?

On ne doit pas oublier que les berceuses – comme l'expriment bien leurs paroles – sont inventées par les pauvres femmes dont les enfants sont pour elles une charge, une lourde croix, que souvent elles ne peuvent porter. Chaque enfant, au lieu d'être une joie, est un fardeau, et naturellement elles ne peuvent s'empêcher de lui chanter, tout en leur disant leur amour, leur mal de vivre.

Il existe des exemples précis de cette attitude, de cette rancœur contre l'enfant qui est arrivé lorsque, malgré le désir de la mère, en aucune façon il n'aurait dû arriver. Voici ce que l'on chante dans les Asturies, dans le village de Navia :

Este neñín que teño nel collo
e d'un amor que se tsama Vitorio,
Dios que mo deu, tseveme llougo
por non andar con Vitorio nel collo.

Y la melodía con que se canta está a tono con la tristeza miserable de los versos.

Son las pobres mujeres las que dan a sus hijos este pan melancólico y son ellas las que lo llevan a las casas ricas. El niño rico tiene la nana de la mujer pobre, que le da al mismo tiempo, en su cándida leche silvestre, la médula del país.

Estas nodrizas, juntamente con las criadas y otras sirvientas más humildes, están realizando hace mucho tiempo la importantísima labor de llevar el romance, la canción y el cuento a las casas de los aristócratas y los burgueses. Los niños ricos saben de Gerineldo, de don Bernardo, de Thamar, de los Amantes de Teruel, gracias a estas admirables criadas y nodrizas que bajan de los montes o vienen a lo largo de nuestros ríos, para darnos la primera lección de historia de España y poner en nuestra carne el sello áspero de la divisa ibérica: “Solo estás y solo vivirás.”

Ce petit enfant que j'ai dans mon corps
est d'un amoureux appelé Victor
Dieu me l'a donné, que vite il m'emporte,
pour ne plus garder Victor à mon col.

Et la mélodie sur laquelle on chante ces vers s'accorde à leur désolante tristesse.

Ce sont les pauvres femmes qui nourrissent leurs enfants de cette mélancolie et ce sont elles aussi qui l'apportent dans les maisons riches. L'enfant riche reçoit les berceuses de la femme pauvre qui en même temps, dans la blancheur de son lait rustique, lui donne la quintessence du pays.

Ces nourrices, ainsi que les bonnes et autres servantes plus modestes, se chargent depuis longtemps de la tâche fondamentale d'apporter les *romances*, les chansons et les légendes chez les aristocrates et les bourgeois. Les enfants riches ont entendu parler de Gerineldo, de Don Bernardo, de Thamar, des Amants de Teruel grâce à ces admirables bonnes et nourrices qui descendent des montagnes ou suivent le cours de nos rivières pour venir nous donner notre première leçon d'histoire de l'Espagne et marquer notre chair du sceau rude de cette devise ibérique : "Tu es seul et seul tu vivras."

Para provocar el sueño del niño intervienen varios factores importantes, si contamos naturalmente con el beneplácito de las hadas. Las hadas son las que traen las anémonas y temperatura. La madre y la canción ponen lo demás.

Todos los que sentimos al niño como el primer espectáculo de la naturaleza, los que creemos que no hay flor, número o silencio comparables a él, hemos observado muchas veces cómo, al dormir y sin que nada ni nadie le llame la atención, ha vuelto la cara del almidonado pecho de la nodriza (ese pequeño monte volcánico estremecido de leche y venas azules) y ha mirado con los ojos fijos la habitación aquietada para su sueño.

"¡Ya está ahí!", digo yo siempre, y efectivamente, está.

El año de 1917 tuve la suerte de ver a un hada en la habitación de un niño pequeño, primo mío. Fue una centésima de segundo, pero la vi. Es decir, la vi... como se ven las cosas puras, situadas al margen de la circulación de la sangre, con el rabillo del ojo, como el gran poeta Juan Ramón Jiménez vio a las sirenas, a su vuelta de América: las vio que se

Pour susciter le sommeil de l'enfant divers facteurs interviennent, si l'on bénéficie naturellement de la bienveillance des fées. Ce sont les fées qui apportent les anémones et la température. La mère et la chanson se chargent du reste.

Tous ceux qui, comme moi, pensent que les enfants sont le premier spectacle de la nature, qui croient qu'il n'est pas de fleur, de nombre ou de silence qui leur soient comparables, ont observé de quelle façon, souvent en s'endormant et sans que rien ni personne n'attire leur attention, ils détournent leur visage de la poitrine amidonnée de la nourrice (cette petite montagne volcanique frémissante de lait et de veines bleues) pour regarder, les yeux fixes, la chambre apaisée pour leur sommeil.

Je dis à chaque fois : "Ça y est, il est là !" et effectivement, il est bien là.

En 1917, j'ai eu la chance de voir une fée dans la chambre d'un jeune enfant, mon petit cousin. Ce fut l'espace d'un centième de seconde, mais je l'ai vue. Enfin, je l'ai vue... comme on voit les choses pures, situées en marge de la circulation du sang, du coin de l'œil, comme le grand poète Juan Ramón Jiménez vit les sirènes, à son retour d'Amérique ; il vit qu'elles venaient de disparaître dans l'eau.

acababan de hundir. Esta hada estaba encaramada en la cortina, relumbrante como si estuviera vestida con un traje de ojo de perdiz, pero me es imposible recordar su tamaño ni su gesto. Nada más fácil para mí que inventármela, pero sería un engaño poético de primer orden, nunca una creación poética, y yo no quiero engañar a nadie. No hablo con humor ni con ironía; hablo con la fe arraigada que solamente tienen el poeta, el niño y el tonto puro. Al hablar incidentalmente de las hadas cumplí con mi deber de propagandista del sentido poético, hoy casi perdido por culpa de los literatos y los intelectuales, que han esgrimido contra él las armas humanas y poderosas de la ironía y el análisis.

Después del ambiente que ellas crean, hacen falta dos ritmos. El ritmo físico de la cuna o silla y el ritmo intelectual de la melodía. La madre traba estos dos ritmos para el cuerpo y para el oído con distintos compases y silencios; los va combinando hasta conseguir el tono justo que encanta al niño.

No hacía falta ninguna que la canción tuviera texto. El sueño acude con el ritmo solo y la vibración de la voz sobre ese ritmo.

Cette fée était juchée sur le rideau, elle resplendissait comme si elle portait un vêtement rebrodé, mais il m'est impossible de me rappeler sa taille, pas plus que son expression. Rien de plus facile pour moi que de les inventer, mais ce serait un mensonge poétique de tout premier ordre, en aucun cas une création poétique, et moi, je ne veux mentir à personne. Je ne mets dans mes propos ni humour ni ironie ; j'y mets cette foi profonde qui n'appartient qu'au poète, à l'enfant et au parfait idiot. En parlant incidemment des fées, j'ai rempli ma mission de propagandiste du sentiment poétique, aujourd'hui presque perdu par la faute des hommes de lettres et des intellectuels qui ont levé contre lui les armes humaines et puissantes de l'ironie et de l'analyse.

En plus de l'ambiance que créent les fées, deux rythmes sont nécessaires. Le rythme physique du berceau ou de la chaise et le rythme intellectuel de la mélodie. La mère assemble ces deux rythmes pour le corps et pour l'ouïe en variant les temps et les silences ; elle les module jusqu'à ce qu'elle obtienne le ton juste qui ravit l'enfant.

Les paroles n'étaient pas du tout nécessaires à la chanson. Le sommeil survient grâce au rythme seul et à la vibration de la voix sur ce

La canción de cuna perfecta sería la repetición de dos notas entre sí, alargando su duración y efectos. Pero la madre no quiere ser fascinadora de serpientes, aunque en el fondo emplee la misma técnica.

Tiene necesidad de la palabra para mantener al niño pendiente de sus labios, y no sólo gusta de expresar cosas agradables mientras viene el sueño, sino que lo entra de lleno en la realidad cruda y le va infiltrando el dramatismo del mundo.

Así, pues, la letra de las canciones va contra el sueño y su río manso. El texto provoca emociones en el niño y estados de duda, de terror, contra los cuales tiene que luchar la mano borrosa de la melodía que peina y amansa los caballitos encabritados que se agitan en los ojos de la criatura.

No olvidemos que el objeto fundamental de la nana es dormir al niño que no tiene sueño. Son canciones para el día y la hora en que en niño tiene ganas de jugar. En Tamames se canta:

Duérmete, mi niño,
que tengo que hacer,

ÉDITIONS ALLIA
16, RUE CHARLEMAGNE
F - 75004 PARIS

NOM : ....

PRÉNOM : ....

ADRESSE : ....

....

PAYS : ....

E-MAIL : ....

DÉSIRE RECEVOIR LE CATALOGUE DES ÉDITIONS ALLIA

rythme. La berceuse parfaite serait la répétition de deux notes entre elles, qui prolongeraient leurs durées et leurs effets. Mais la mère ne veut pas être une charmeuse de serpents, bien que, dans le fond, elle emploie la même technique.

Elle a besoin des mots pour maintenir l'enfant suspendu à ses lèvres, et pas uniquement pour le plaisir de lui exprimer des choses agréables pendant que le sommeil vient, mais aussi pour le faire entrer de plain-pied dans la cruelle réalité et lui insinuer la puissance dramatique du monde.

Ainsi donc, les paroles des chansons vont à l'encontre du sommeil et de ses eaux paisibles. Le texte provoque des émotions chez l'enfant, des états d'inquiétude et de terreur, contre lesquels doit se battre la main floue de la mélodie qui brosse et calme les petits chevaux cabrés qui s'agitent dans les yeux de l'enfant.

N'oublions pas que l'objectif fondamental des berceuses est de faire dormir l'enfant qui n'a pas sommeil. Ce sont des chansons faites pour le jour et l'heure où l'enfant a envie de jouer. A Tamames, on chante :

Dors, mon enfant, dors,
j'ai bien du travail,

lavarte la ropa,
ponerme a coser.

Y a veces la madre realiza una verdadera batalla que termina con azotes, llantos y sueño al fin. Nótese cómo al niño recién nacido no se le canta la nana casi nunca. Al niño recién nacido se le entretiene con el esbozo melódico dicho entre dientes y, en cambio, se da mucha más importancia al ritmo físico, al balanceo. La nana requiere un espectador que siga con inteligencia sus accidentes y se distraiga con la anécdota, tipo o evocación de paisaje que la canción expresa. El niño al que se canta ya habla, empieza a andar, conoce el significado de las palabras y muchas veces canta él también.

Hay una relación delicadísima entre el niño y la madre en el momento silencioso del canto. El niño permanece alerta para protestar el texto o avivar el ritmo demasiado monótono. La madre adopta una actitud de ángulo sobre el agua al sentirse espiada por el agudo crítico de su voz.

Ya sabemos que a todos los niños de Europa se les asusta con el Coco de maneras diferentes. Con el Bute y la Marimanta andaluza

ton linge à laver,
coudre mon ouvrage.

Quelquefois la mère se livre à une véritable bataille qui s'achève par une fessée, des larmes et pour finir le sommeil. Il est à noter que l'on ne chante presque jamais de berceuses à un enfant nouveau-né. On distrait le nouveau-né par une ébauche mélodique murmurée entre les lèvres et en revanche, on donne beaucoup plus d'importance au rythme physique, au balancement. La berceuse requiert un spectateur qui suive avec intelligence ses variations et soit intéressé par son anecdote, par le paysage singulier ou ébauché qu'exprime la chanson. L'enfant pour qui l'on chante parle déjà, commence à marcher, connaît le sens des mots et chante souvent lui aussi.

Il existe une relation extrêmement délicate entre l'enfant et la mère au moment silencieux du chant. L'enfant demeure sur ses gardes pour protester contre les paroles ou aviver le rythme trop monotone. La mère adopte une attitude d'angle sur l'eau en se sentant épiée par ce fin critique de sa voix.

On sait bien que le Croquemitaine est utilisé pour effrayer tous les enfants d'Europe de différentes façons. Le *Bute* et la *Marimanta* andalouse

forma parte de ese raro mundo infantil, lleno de figuras sin dibujar, que se alzan como elefantes entre la graciosa fábula de espíritus caseros que todavía alientan en algunos rincones de España.

La fuerza mágica del Coco es precisamente su desdibujo. Nunca puede aparecer aunque ronde las habitaciones. Y lo delicioso es que sigue desdibujado para todos. Se trata de una abstracción poética y por eso, el miedo que produce es un miedo cósmico, un miedo en el cual los sentidos no pueden poner sus límites siempre salvadores, sus paredes objetivas que defienden, dentro del peligro, de otros peligros mayores porque no tienen explicación posible. Pero no hay tampoco duda de que el niño lucha por representarse esa abstracción y es muy frecuente que llame Cocos a las formas extravagantes que a veces se encuentran en la naturaleza. Al fin y al cabo el niño está libre para poder imaginárselo. El miedo que le tenga depende de su fantasía y puede incluso, serle simpático. Yo conocí a una niña catalana que en una de las últimas exposiciones cubistas de mi gran compañero de Residencia, Salvador Dalí, nos costó mucho trabajo sacarla

appartiennent ainsi à cet étrange monde de l'enfance plein de silhouettes imprécises qui se dressent comme des éléphants au milieu de la charmante fable des esprits familiers que l'on continue d'alimenter dans certains coins d'Espagne.

La force magique du Croquemitaine est justement son imprécision. Il ne peut jamais apparaître, bien qu'il rôde autour des maisons. Et le plus délicieux c'est qu'il demeure flou pour tout le monde. Il s'agit d'une abstraction poétique et c'est pourquoi la crainte qu'il inspire est cosmique, une crainte à laquelle les sens ne peuvent imposer leurs limites salvatrices, leurs murs objectifs qui protègent, dans le danger, contre d'autres dangers encore plus grands, car ils n'ont pas d'explication possible. Mais il ne fait aucun doute, non plus, que l'enfant se bat pour se représenter cette abstraction et il est fréquent qu'il donne le nom de Croquemitaine aux formes extravagantes qui se trouvent quelquefois dans la nature. En fin de compte, l'enfant est libre de pouvoir l'imaginer. La peur qu'il en aura dépend de sa fantaisie et il peut même le trouver sympathique. J'ai connu, lors d'une des dernières expositions cubistes de mon grand camarade de la Résidence des Etudiants, Salvador Dali, une petite Catalane que nous avons eu

fuera del local porque estaba entusiasmada con los Papos, los Cocos, que eran cuadros grandes de colores ardientes y de una extraordinaria fuerza expresiva. Pero no es España aficionada al Coco. Prefiere asustar con seres reales. En el sur, el Toro y la Reina Mora son las amenazas; en Castilla, la Loba y la Gitana; y en el norte de Burgos se hace una maravillosa sustitución del Coco por la Aurora. Es el mismo procedimiento para infundir silencio que se emplea en la nana más popular de Alemania, en la cual es una oveja la que viene a morder al niño. La concentración y huida al otro mundo, el ansia de abrigo y el ansia de límite seguro que impone la aparición de estos seres reales o imaginarios, lleva al sueño, aunque conseguido de manera poco prudente... Pero esta técnica del miedo no es muy frecuente en España. Hay otros modos más refinados y algunos más crueles.

Muchas veces la madre construye en la canción una escena de paisaje abstracto, casi siempre nocturno, y en ella pone, como en el auto más simple y viejo, uno o dos personajes siempre de un efecto melancólico de lo más bello

beaucoup de mal à faire sortir de la salle parce qu'elle était enthousiasmée par les Grands Méchants et les Croquemitaines qui étaient de grands tableaux aux couleurs flamboyantes, d'une extraordinaire force expressive. Mais l'Espagne n'a pas un goût particulier pour le Croquemitaine. Elle préfère se servir d'êtres réels pour faire peur. Dans le Sud, les menaces sont le Taureau et la Reine Maure ; en Castille, la Louve et la Gitane ; au nord de Burgos on remplace merveilleusement le Croquemitaine par l'Aurore. Le même procédé pour imposer le silence est employé dans la berceuse la plus populaire d'Allemagne, dans laquelle c'est un mouton qui vient mordre l'enfant. Le repli sur soi et la fuite vers l'autre monde, la quête d'un abri et la quête de limites certaines qu'impose l'apparition de ces êtres réels ou imaginaires, conduisent au sommeil, certes, bien que l'on y parvienne de façon peu prudente… Mais la technique de la peur n'est pas très fréquente en Espagne. Il y existe d'autres moyens plus raffinés et d'autres plus cruels.

Souvent la mère construit dans la chanson une scène sur un paysage abstrait, presque toujours nocturne et elle y place, comme dans la pièce de théâtre la plus innocente et la plus ancienne, un ou deux personnages d'une mélancolie du plus

que se puede conseguir. Por esta escenografía diminuta pasan los tipos que el niño va dibujando necesariamente y que se agrandan en la niebla caliente de la vigilia.

A esta clase pertenecen los textos más suaves y tranquilos por los que el niño puede correr relativamente sin temores. Andalucía tiene hermosos ejemplos. Es la canción de cuna más racional si no fuera por las melodías. Pero las melodías son dramáticas, siempre de un dramatismo incomprensible para el oficio que ejercen. Yo he recogido en Granada seis versiones de esta nana:

A la nana, nana, nana,
a la nanita de aquel
que llevó el caballo al agua
y lo dejó sin beber.

En Tamames (Salamanca) existe ésta:

Las vacas de Juana
no quieren comer;
llévalas al agua,
que querrán beber.

bel effet que l'on puisse obtenir. Les figures que l'enfant dessine nécessairement traversent cette minuscule mise en scène et s'amplifient dans la brume chaude de ce moment de veille.

C'est à cette catégorie qu'appartiennent les textes les plus doux et sereins, que l'enfant peut parcourir sans trop de craintes. L'Andalousie en compte de beaux exemples. Ce sont les berceuses les plus rationnelles, si l'on excepte leur mélodie. Car les mélodies sont dramatiques, toujours d'une teneur dramatique incompréhensible pour l'usage que l'on en fait. J'ai moi-même recueilli à Grenade six versions de cette berceuse :

Dodo, dodo, fais ton dodo,
je te raconterai l'histoire
de celui qui mena à l'eau
son cheval sans le faire boire.

A Tamames, province de Salamanque, on trouve celle-ci :

La vache de Jeanne
qui ne mange pas,
mène-la à l'eau
et elle y boira.

En Santander se canta:

Por aquella calle a la larga
hay un gavilán *perdío*
que dicen que va a llevarse
la paloma de su *nío*.

Y en Pedrosa del Príncipe (Burgos):

A mi caballo le eché
hojitas de limón verde
y no las quiso comer.

Los cuatro textos, aunque de personajes diferentes y de sentimientos distintos, tienen un mismo ambiente. Es decir: la madre evoca un paisaje de la manera más simple y hace pasar por él a un personaje al que rara vez da nombre. Solamente conozco dos tipos bautizados en el ámbito de la nana: Pedro Meilero, de la Villa del Grado, que llevaba la gaita colgada de un palo, y el delicioso maestro Galindo de Castilla, que no podía tener escuela porque pegaba a los muchachos sin quitarse las espuelas.

La madre lleva al niño fuera de sí, a la lejanía, y le hace volver a su regazo para que, cansado, descanse. Es una pequeña incitación de

A Santander on chante :

Un épervier s'est perdu,
dans une rue loin d'ici,
on dit qu'il veut enlever
la colombe de son nid.

Et à Pedrosa del Príncipe (Burgos) :

A mon cheval j'ai donné
des feuilles de citron vert
qu'il n'a pas voulu manger.

Les quatre textes, bien que leurs personnages soient différents et leurs sentiments divers, ont une même atmosphère. A savoir : la mère évoque un paysage de la façon la plus simple et y fait passer un personnage auquel elle donne rarement un nom. Je ne connais que deux gars à être baptisés dans le monde des berceuses : Pedro Meilero, du bourg de Grado, qui portait sa cornemuse comme on porte un ballot et le délicieux maître d'école Galindo de Castille qui ne pouvait pas faire la classe aux petits garçons car il les frappait sans ôter ses éperons.

La mère entraîne l'enfant hors d'elle-même, dans le lointain, et elle le fait revenir dans son giron afin que, fatigué, il s'y repose. C'est une

aventura poética. Son los primeros pasos por el mundo de la representación intelectual. En esta nana (la más popular del reino de Granada):

A la nana, nana, nana,
a la nanita de aquel
que llevó el caballo al agua
y lo dejó sin beber,

el niño tiene un juego lírico de belleza pura antes de entregarse al sueño. Ese *aquel* y su caballo se alejan por el camino de ramas oscuras hacia el río, para volver a marcharse por donde empieza el canto una vez y otra vez, siempre de manera silenciosa y renovada. Nunca el niño los verá de frente. Siempre imaginará en la penumbra el traje oscuro de *aquel* y la grupa brillante del caballo. Ningún personaje de estas canciones da la cara. Es preciso que se alejen y abran un camino hacia sitios donde el agua es más profunda y el pájaro ha renunciado definitivamente a sus alas. Hacia la más simple quietud. Pero la melodía da en este caso un tono que hace dramáticos en extremo a *aquel* y a su caballo; y al

petite incitation à l'aventure poétique. Ce sont les premiers pas à travers le monde de la représentation intellectuelle. Dans cette berceuse (la plus populaire du royaume de Grenade) :

> Dodo, dodo, fais ton dodo,
> je te raconterai l'histoire
> de celui qui mena à l'eau
> son cheval sans le faire boire,

l'enfant dispose d'un jeu lyrique d'une beauté pure avant de s'abandonner au sommeil. *Celui* dont il est question et son cheval s'éloignent sur un chemin aux branches sombres vers la rivière, pour repartir, à l'endroit où commence la chanson, encore et encore, toujours de manière silencieuse et renouvelée. L'enfant ne les verra jamais de face. Toujours il imaginera dans la pénombre le vêtement sombre de *celui-là* et la croupe brillante du cheval. Aucun personnage de ces chansons ne montre son visage. Il faut qu'ils s'éloignent et ouvrent un chemin vers des endroits où l'eau est plus profonde et où l'oiseau a renoncé définitivement à ses ailes. Vers la sérénité la plus simple. Mais la mélodie donne dans ce cas précis un ton qui rend extrêmement dramatiques *celui-là* et son cheval ; et qui entoure le fait insolite

hecho insólito de no darle agua una rara angustia misteriosa.

En este tipo de canción, el niño reconoce al personaje, y, según su experiencia visual, que siempre es más de la que suponemos, perfila su figura. Está obligado a ser un espectador y un creador al mismo tiempo, ¡y qué creador maravilloso! Un creador que posee un sentido poético de primer orden. No tenemos más que estudiar sus primeros juegos, antes de que se turbe de inteligencia, para observar qué belleza planetaria los anima, qué simplicidad perfecta y qué misteriosas relaciones descubre entre cosas y objetos que Minerva no podrá nunca descifrar. Con un botón, un carrete de hilo, una pluma y los cinco dedos de su mano construye el niño un mundo difícil cruzado de resonancias inéditas, que cantan y se entrechocan de turbadora manera, con alegría que no ha de ser analizada. Mucho más de lo que pensamos comprende el niño. Está dentro de un mundo poético inaccesible, donde ni la retórica ni la alcahueta imaginación, ni la fantasía tienen entrada; planicie, con los centros nerviosos al aire, de horror y belleza aguda, donde un caballo blanquísimo, mitad de níquel, mitad de humo, cae herido de repente

de ne pas lui donner à boire d'une angoisse singulièrement mystérieuse.

Dans ce type de chanson, l'enfant reconnaît le personnage, et, selon son expérience visuelle, qui est toujours supérieure à celle que nous imaginons, il découpe sa silhouette. Il est obligé d'être un spectateur et un créateur tout à la fois, et quel merveilleux créateur ! Un créateur qui possède un sens poétique de tout premier ordre. Il suffit d'étudier ses premiers jeux, avant que l'intelligence ne le trouble, pour observer quelle beauté planétaire les anime, quelle simplicité parfaite et quels liens mystérieux – que jamais Minerve ne pourra déchiffrer – il révèle entre les choses et les objets. Avec un bouton, une bobine de fil, une plume et les cinq doigts de sa main, l'enfant construit un monde difficile, traversé de résonances inédites, qui chantent et s'entrechoquent de façon troublante, avec une joie qui ne doit pas être analysée. L'enfant comprend beaucoup plus qu'on ne le croit. Il est dans un monde poétique inaccessible, où ni la rhétorique, ni l'imagination entremetteuse, ni la fantaisie n'ont droit de cité ; une plaine d'horreur et de beauté extrêmes, dont les centres nerveux sont à l'air libre, où un cheval très blanc, à moitié fait de nickel, à moitié fait de fumée, tombe blessé

con un enjambre de abejas clavadas de furiosa manera sobre sus ojos.

Muy lejos de nosotros, el niño posee íntegra la fe creadora y no tiene aún la semilla de la razón destructora. Es inocente y, por lo tanto, sabio. Comprende, mejor que nosotros, la clave inefable de la sustancia poética.

Otras veces la madre sale también de aventura con su niño en la canción. En la región de Guadix se canta:

A la nana, niño mío,
a la nanita y haremos
en el campo una chocita
y en ella nos meteremos.

Se van los dos. El peligro está cerca. Hay que reducirse, achicarse, que las paredes de la chocita nos toquen en la carne. Fuera nos acechan. Hay que vivir en un sitio muy pequeño. Si podemos, viviremos dentro de una naranja. Tú y yo. ¡Mejor, dentro de una uva!

Aquí llega el sueño, atraído por el procedimiento contrario al de la lejanía. Dormir al niño haciendo un camino delante de él, equivale un poco a la raya de tiza blanca que hace

soudain, un essaim d'abeilles planté furieusement sur ses yeux.

Bien loin de nous, l'enfant possède une foi créatrice intacte et n'a pas encore en lui les germes de la raison destructrice. Il est innocent et, de ce fait, il est savant. Il comprend, mieux que nous, la clef ineffable de la substance poétique.

D'autres fois, la mère elle aussi part à l'aventure avec son enfant dans la chanson. Dans la région de Guadix, on chante :

> Dodo, dodo, mon enfant,
> fais dodo et nous ferons
> une maisonnette aux champs
> et dedans nous entrerons.

Ils partent tous les deux. Le danger est proche. Il faut se réduire, se rétrécir, que les murs de la maisonnette nous touchent dans notre chair. Dehors, on nous guette. Il faut vivre dans un tout petit endroit. Si nous y arrivons, nous vivrons dans une orange. Toi et moi. Ou mieux encore, dans un grain de raisin !

C'est alors qu'arrive le sommeil, attiré par un procédé contraire à celui de l'éloignement. Faire dormir l'enfant en traçant un chemin devant lui équivaut un peu à la ligne de craie

el hipnotizador de gallos. Esta manera de recogimiento dentro de sí es más dulce. Tiene la alegría del que ya está seguro en la rama del árbol durante la turbulenta inundación.

Hay algún ejemplo en España – Salamanca y Murcia – en el cual la madre hace de niño, al revés:

> Tengo sueño, tengo sueño,
> tengo ganas de dormir.
> Un ojo tengo cerrado,
> otro ojo a medio abrir.

Usurpa el puesto del niño de una manera autoritaria, y, claro está, como el niño carece de defensa, tiene forzosamente que dormirse.

Pero el grupo más completo de canciones de cuna, y el más frecuente en todo el país, está compuesto por aquellas canciones en las cuales se obliga al niño a ser actor único de su propia nana.

Se le empuja dentro de la canción, se le disfraza y se le pone en oficios o momentos siempre desagradables.

Aquí están los ejemplares más cantados y de más rica enjundia española, así como las

blanche que dessine l'hypnotiseur de coqs. Cette façon de se recueillir en soi-même est plus douce. Elle procure une joie comme celle d'être bien à l'abri sur la branche d'un arbre pendant le tumulte d'une inondation.

En Espagne – à Salamanque et à Murcie – on trouve un exemple dans lequel, au contraire, la mère joue le rôle de l'enfant :

J'ai sommeil, que j'ai sommeil,
j'ai bien envie de dormir.
J'ai un œil à demi clos,
l'autre ne veut pas s'ouvrir.

Elle usurpe d'autorité la place de l'enfant, et, bien entendu, comme l'enfant est sans défense, il doit forcément s'endormir.

Mais l'ensemble le plus complet, et le plus répandu dans tout le pays, est composé de ces chansons dans lesquelles on oblige l'enfant à être le seul acteur de sa propre berceuse.

On le pousse à l'intérieur de la chanson, on l'y déguise et on le met dans des rôles ou des situations toujours désagréables.

C'est à ce groupe qu'appartiennent les pièces les plus chantées et les plus richement dotées de substance espagnole, de même que

melodías más originales y de más acentuado indigenismo.

El niño es maltratado, zaherido, de la manera más tierna: "Vete de aquí; tú no eres mi niño; tu madre es una gitana." O "tu madre no está; no tienes cuna; eres pobre, como nuestro Señor"; y siempre en este tono.

Ya no se trata de amenazar, asustar o construir una escena, sino que se echa al niño dentro de ella, solo y sin armas, caballero indefenso contra la realidad de la madre.

La actitud del niño en esta clase de nanas es casi siempre de protesta, más o menos acentuada según su sensibilidad.

Yo he presenciado infinidad de casos en mi larga familia en los cuales el niño ha impedido rotundamente la canción. Ha llorado, ha pataleado, hasta que la nodriza ha cambiado, con gran disgusto por parte de ella, el disco, y ha roto con otra canción en la cual se compara el sueño del niño con el bovino rubor de la rosa. En Trubia se canta a los niños esta *añada*, que es una lección de desencanto:

Crióme mi madre
feliz y contentu,
cuando me dormía

les mélodies les plus originales et les plus nettement autochtones.

L'enfant y est maltraité, malmené de la façon la plus tendre. “Va-t'en d'ici ; tu n'es pas mon enfant ; ta mère est une Gitane.” Ou encore “ta mère n'est pas là ; tu n'as pas de berceau ; tu es pauvre comme Notre Seigneur” ; et d'autres choses encore, toujours sur le même ton.

Il ne s'agit plus de menacer, d'effrayer ou de construire une scène, mais de jeter l'enfant dans l'histoire, seul et sans armes, chevalier démuni contre la réalité de la mère.

L'attitude de l'enfant dans cette sorte de berceuse est presque toujours la protestation, plus ou moins accentuée, selon sa sensibilité.

J'ai été témoin d'une infinité de cas au sein de ma vaste famille dans lesquels l'enfant a empêché catégoriquement la chanson. Il a pleuré, trépigné, jusqu'à ce que la nourrice, fort mécontente, change de disque et entonne une autre chanson dans laquelle on compare le sommeil de l'enfant à la rougeur bovine de la rose. A Trubia on chante aux enfants cette *añada* qui est une leçon de désenchantement :

Auprès de ma mère
j'étais bien content ;
lorsqu'elle me berçait

me iba diciendo:
ea, ea, ea
tú has de ser marqués,
conde o caballeru;
y por mi desgracia
yo aprendí a goxeru,
ea, ea, ea
Facía los goxos
en mes de Xineru
y por el verano
cobraba el dinero.
Aquí está la vida
del pobre goxeru.
[¡Si mia pobre madres
volvies abri'l güeyu!]

Oigan ahora ustedes esta nana que se canta en Cáceres, de rara pureza melódica, que parece hecha para cantar a los niños que no tienen madre y cuya severidad lírica es tan madura que más bien parece canto para morir que canto para el primer sueño:

Duérmete, mi niño, duerme,
que tu madre no está en casa,
que se la llevó la Virgen
de compañera a su casa.

c'était en chantant :
allez, allez, allez,
tu seras marquis,
comte ou chevalier ;
et pour mon malheur,
me suis fait vannier,
allez, allez, allez
tressant mes paniers
au mois de janvier,
recevant l'argent
quand revient l'été.
Et voilà la vie
du pauvre vannier.
[Ma mère, ouvrez l'œil
si vous revenez !]

Ecoutez à présent cette berceuse que l'on chante à Cáceres, d'une rare pureté mélodique, qui semble faite pour être chantée aux enfants qui n'ont pas de mère et dont la sévérité lyrique est d'une telle maturité qu'elle ressemble plus à une chanson pour mourir qu'à une chanson pour s'endormir :

Fais dodo, mon enfant, dors,
ta maman n'est pas ici
la Vierge l'a emmenée,
pour lui tenir compagnie.

De este tipo existen varias en el norte y oeste de España, que es donde la nana toma acentos más duros y miserables.

En Orense se canta otra nana por una doncella cuyos senos todavía ciegos esperan el rumor resbaladizo de su manzana cortada:

Ora, meu menhino, ora;
¿quién vos ha de da la teta
si teu pai vai no muiño
e tua mai na leña seca?

Las mujeres de Burgos cantan:

Échate, niño, al ron ron,
que tu padre está al carbón
y tu madre a la manteca
no te puede dar la teta.

Estas dos nanas tienen mucho parecido. La antigüedad venerable de las dos está suficientemente clara. Ambas melodías están escritas en un tetracordo, dentro del cual desenvuelven su esquema. Por la simplicidad y su puro diseño son canciones que no tienen par en ningún cancionero.

Il en existe plusieurs de ce type dans le nord et l'ouest de l'Espagne, car c'est là que les berceuses prennent leurs accents les plus durs et tristes.

A Orense, on chante une autre chanson pour une jeune fille dont les seins encore aveugles attendent la rumeur fuyante de leur pomme coupée :

Pleure, pleure, mon petit,
qui va te donner le sein ?
Ta mère prend du bois sec
et ton père est au moulin.

Les femmes de Burgos chantent :

Va au dodo, mon garçon
ton papa fait du charbon,
maman fait du beurre frais,
ne peut te donner de lait.

Ces deux berceuses sont très similaires. La vénérable ancienneté de l'une comme de l'autre est suffisamment claire. Leurs deux mélodies sont inscrites dans un tétracorde dans lequel elles développent leur schéma. Par leur simplicité et la pureté de leurs lignes, ce sont des chansons qui ne sont égalées dans aucun recueil.

Es particularmente triste la nana con que duermen a sus hijos las gitanas de Sevilla. Pero no creo que sea oriunda de esta ciudad. Es el único tipo que presento influido por el canto de las montañas del norte y que no ofrece la autonomía melódica insobornable que tiene cada región cuando logra definirse. Constantemente vemos en todos los cantos gitanos esa influencia nórdica a través de Granada. Está recogida en Sevilla por un amigo mío de gran escrupulosidad musical, pero parece hija directa de los valles penibéticos. El diseño tiene extraordinario parecido con este canto de Santander, muy conocido:

Por aquella vereda
no pasa nadie,
que murió la zagala,
la flor del valle,
la flor del valle,
sí, etc.

Es una nana de este tipo triste en que se deja solo al niño, aun en medio de la mayor ternura. Dice así:

La berceuse que les Gitanes de Séville chantent pour faire dormir leurs enfants est particulièrement triste. Mais je ne crois pas qu'elle soit originaire de cette ville. Parmi toutes celles que je présente ici, c'est le seul exemple à être influencé par le chant des montagnes du Nord et à ne pas offrir l'autonomie mélodique incorruptible que possède chaque région lorsqu'elle parvient à se définir. On voit constamment dans tous les chants gitans la même influence nordique passée par Grenade. Cette berceuse a été recueillie à Séville par un de mes amis très scrupuleux musicalement, mais elle paraît descendre directement des vallées de la cordillère pénibétique. Sa structure présente une extraordinaire ressemblance avec ce chant de Santander, bien connu :

On ne voit le long du sentier
plus personne passer
car elle est morte la bergère,
la fleur de la vallée,
la fleur de la vallée,
oui, etc.

C'est une de ces berceuses tristes où l'enfant est laissé seul, bien qu'entouré de la plus grande tendresse qui soit. Elle dit ceci :

Este galapaguito
no tiene madre,
lo parió una gitana,
lo echó a la calle.

No hay duda ninguna de su acento nórdico, mejor diría granadino, canto que conozco porque lo he recogido, y en donde se traban, como en su paisaje, la nieve con el surtidor y el helecho con la naranja. Pero para afirmar todas estas cosas hay que andar con sumo tacto. Hace años, Manuel de Falla venía sosteniendo que una canción de columpio que se canta en los primeros pueblos de Sierra Nevada era de indudable origen asturiano. Las varias transcripciones que le llevamos afirmaron su creencia. Pero un día la oyó cantar él mismo, y al transcribirla y estudiarla, notó que era una canción con el ritmo viejo llamado epitrito y que nada tenía que ver con la tonalidad ni con la métrica típicas de Asturias. La transcripción, al dislocar el ritmo, la hacía asturiana. No hay duda de que Granada tiene un gran acervo de canciones de tono galaico y de tono asturiano,

Elle n'a pas eu de maman
la petite tortue.
La Gitane l'a enfantée,
et l'a mise à la rue.

Son accent nordique ne fait aucun doute, pour être plus précis, je dirais son accent de Grenade, c'est un chant que je connais pour l'y avoir recueilli et où se marient, comme dans ses paysages, la neige et le jet d'eau, la fougère et l'orange. Mais, pour affirmer toutes ces choses, il faut avancer avec une prudence extrême. Il y a des années, Manuel de Falla soutenait qu'une chanson pour jouer à la balançoire que l'on chante dans les premiers villages de la Sierra Nevada était indubitablement d'origine asturienne. Les différentes transcriptions que nous lui avons apportées ont affermi sa conviction. Mais un jour, il a entendu lui-même quelqu'un la chanter, et en la transcrivant et en l'étudiant, il a observé qu'il s'agissait d'une chanson présentant le rythme ancien appelé épitrite et qu'elle n'avait rien à voir avec la tonalité pas plus qu'avec la métrique particulières aux Asturies. La transcription, en disloquant le rythme, la rendait asturienne. Il ne fait nul doute que Grenade possède un grand patrimoine de chansons aux accents galiciens et asturiens, redevable à la

debido a una colonización que gentes de estas dos regiones iniciaron en la Alpujarra; pero existen otras infinitas influencias difíciles de captar por esa máscara terrible, que lo cubre todo y que se llama *carácter regional*, el cual confunde y nubla las entradas de las claves, sólo descifrables por técnicos tan profundos como Falla quien además, posee una intuición artística de primer orden.

En todo el folklore musical español, con algunas gloriosas excepciones, existe un desbarajuste sin freno en esto de transcribir melodías. Se pueden considerar como *no transcritas* muchas de las que circulan. No hay nada más delicado que un ritmo, base de toda melodía, ni nada más difícil que una voz del pueblo que da en estas melodías tercios de tono y aun cuartos de tono, que no tienen signos en el pentagrama de la música construida. Ya ha llegado la hora de sustituir los imperfectos cancioneros actuales con colecciones de discos de gramófono, de utilidad suma para el erudito y para el músico.

De este mismo ambiente que tiene la nana del galapaguito, aunque ya más enjuto y de melodía más sobria y patética, existe un tipo en Morón de la Frontera y algún otro en Osuna, recogido por el insigne Pedrell.

colonisation que des personnes venues de ces deux régions ont entreprise dans les Alpujarras ; mais il existe une infinité d'autres influences difficiles à saisir à cause de ce masque terrible qui couvre tout et qui s'appelle le *caractère régional.* C'est ce qui brouille et trouble l'accès aux clefs, que seuls peuvent déchiffrer des experts ayant la profondeur de Falla, lequel possède, de plus, une intuition artistique hors pair.

Dans tout le folklore musical espagnol, si l'on excepte quelques glorieuses exceptions, il existe une confusion sans limites dans la transcription des mélodies. On peut considérer comme *non transcrites* beaucoup de celles qui circulent. Rien n'est plus délicat qu'un rythme, base de toute mélodie, et rien de plus difficile à noter qu'une voix paysanne qui donne dans ces mélodies des tiers de ton et jusque des quarts de ton, pour lesquels la musique construite n'a pas prévu de signes sur la portée. Il est bien temps de remplacer les recueils imparfaits par des disques pour gramophone, de la plus grande utilité pour l'érudit et pour le musicien.

On retrouve la tonalité de la berceuse de la petite tortue, quoiqu'en plus austère et avec une mélodie plus sobre et pathétique dans un échantillon de Morón de la Frontera et dans un autre, recueilli à Osuna par l'éminent Pedrell.

En Béjar se canta la nana más ardiente, más representativa de Castilla. Canción que sonaría como una moneda de oro si la arrojásemos contra las piedras del suelo:

Duérmete, niño pequeño,
duerme, que te velo yo;
Dios te dé mucha ventura
neste mundo engañador.

Morena de las morenas,
la Virgen del Castañar;
en la hora de la muerte
ella nos ampārará.

En Asturias se canta esta otra *añada*, en la cual la madre se queja de su marido para que el niño la oiga.

El marido viene golpeando la puerta, rodeado de hombres borrachos, en la noche cerrada y lluviosa del país. La mujer mece al niño con una herida en los pies, con una herida que tiñe de sangre las cruelísimas maromas de los barcos:

Todos los trabayos son
para las pobres muyeres,
aguardando por las noches
que los maridos vinieren.

A Béjar, on chante la berceuse la plus vibrante et la plus représentative de Castille. Une chanson qui ferait le bruit d'une pièce d'or si on la jetait par terre sur les cailloux :

Fais dodo, mon petit enfant,
fais dodo et moi je veille,
Dieu te donne beaucoup de chance
dans ce monde plein de pièges.

Belle brune parmi les brunes,
la Vierge des Châtaigners ;
elle, à l'heure de notre mort,
saura bien nous protéger.

Dans les Asturies, on chante cette autre *añada*, dans laquelle la mère se plaint de son mari pour que l'enfant l'entende.

Le mari frappe à la porte, entouré d'hommes ivres dans la nuit noire et pluvieuse de cette région. La femme qui berce l'enfant a une blessure aux pieds, une blessure qui marque de sang les terribles cordages des bateaux :

C'est sur nous, les pauvres femmes,
que retombent les ennuis,
qui attendons tous les soirs
que reviennent les maris.

Unos veníen borrachos,
Otros veníen alegres.
Otros decíen: Muchachos,
vamos matar las muyeres.
Ellos piden de cenar,
y elles que dayos non tienen.
¿Qué ficiste los dos riales?
Muyer, ¡qué gobiernu tienes!

Es difícil encontrar en toda España un canto más triste y de más cruda salacidad. Nos queda, sin embargo, por ver un tipo de canción de cuna verdaderamente extraordinario. Hay ejemplos en Asturias, Salamanca, Burgos y León. No es la nana de una región determinada, sino que corre por el norte y el centro de la Península. Es la canción de cuna de la mujer adúltera que, cantando a su niño, se entiende con el amante.

Tiene un doble sentido de misterio y de ironía, que sorprende siempre que se escucha. La madre asusta al niño con un hombre que está en la puerta y que no debe entrar. El padre está en casa y no lo dejaría. La variante de Asturias dice:

El que está en la puerta
que non entre agora;

Certains qui reviendront soûls,
d'autres avec le sourire.
D'autres qui diront : les femmes,
faut les tuer, les amis.
Ils réclament leur dîner,
Elles n'ont rien à servir.
– Qu'as-tu donc fait des deux sous ?
Femme, comme tu gaspilles !

Il est difficile de trouver dans toute l'Espagne un chant plus triste et d'une salacité plus crue. Cependant, il nous reste à voir un type de berceuses véritablement extraordinaire. On en a des exemples aux Asturies, à Salamanque, Burgos et Léon. Ce n'est pas la berceuse d'une région en particulier ; elle circule dans le nord et le centre de la Péninsule. C'est la berceuse de la femme adultère qui, tout en chantant pour son enfant, envoie un message à son amant.

Elle a un double sens de mystère et d'ironie, qui surprend toujours lorsqu'on l'écoute. La mère effraie l'enfant en lui parlant d'un homme qui attend dehors et qui ne doit pas entrer. Le père est à la maison et l'en empêcherait. La variante des Asturies dit ceci :

Qui attend dehors
n'entre pas pour l'heure ;

que está el padre en casa
del neñu que llora.

Ea, mi neñín, agora non,
ea, mi neñín, que está el papón.

El que está en la puerta
que vuelva mañana,
que el padre del neñu
está en la montaña.

Ea, mi neñín, agora non,
ea, mi neñín, que está el papón.

La canción de la adúltera que se canta en Alba de Tormes es más lírica que la asturiana y de sentimiento más velado:

Palomita blanca
que andas a deshora
el padre está en casa
del niño que llora.

Palomita negra
de los vuelos blancos,
está el padre en casa
del niño que canta.

le père est présent
chez l'enfant qui pleure.

Allons, mon enfant, pas maintenant, non,
allons, mon enfant, prends garde au démon.

Qui attend dehors
revienne demain ;
le pèr' de l'enfant
va sur les chemins

Allons, mon enfant, pas maintenant, non,
Allons, mon enfant, prends garde au démon.

La chanson de la femme adultère que l'on chante à Alba de Tormes est plus lyrique que l'asturienne et s'exprime de façon plus voilée :

Ma colombe blanche,
tu n'es pas à l'heure,
le père est présent,
chez l'enfant qui pleure.

Ma colombe noire
qui s'envole blanche,
le père est présent
chez l'enfant qui chante.

La variante de Burgos – Salas de los Infantes – es la más clara de todas:

Qué majo que eres,
qué mal que lo entiendes,
que está el padre en casa
y el niño no duerme.
Al mú, mú, al mú mú del alma,
¡que te vayas tú!

Es una hermosa mujer la que canta estas canciones. Diosa Flora, de pecho insomne, apto para la cabeza de la víbora. Ávida de frutos y limpio de melancolía. Esta es la única nana en la cual el niño no tiene importancia de ninguna clase. Es un pretexto nada más. No quiero decir, sin embargo, que todas las mujeres que la cantan sean adúlteras; pero sí que, sin darse cuenta, entran en el ámbito del adulterio. Después de todo, ese hombre misterioso que está en la puerta y no debe entrar es el hombre que lleva la cara oculta por el gran sombrero, con quien sueña toda mujer verdadera y desligada.

He procurado presentar a ustedes diversos tipos de canciones que, con excepción de la de Sevilla, responden a un modelo regional característico desde el punto de vista melódico. Canciones que no han recibido influencia,

La variante de Burgos – Salas de los Infantes – est la plus claire de toutes :

Comme tu es beau,
que tu comprends mal
le père est présent,
l'enfant ne dort pas.
Au dodo, au dodo, mon âme,
va-t'en tout de go !

C'est une jolie femme qui chante ces chansons. Déesse Flore, au sein insomniaque, prêt à recevoir la tête de la vipère. Avide de fruits et libre de mélancolie. Cette berceuse est la seule où l'enfant n'a pas la moindre importance. Il est un prétexte, rien de plus. Je ne veux pas dire que toutes les femmes qui la chantent sont adultères ; mais qu'en revanche, sans s'en apercevoir, elles entrent dans la logique de l'adultère. Après tout, cet homme mystérieux qui est à la porte et qui ne doit pas entrer, c'est l'homme au visage caché par un grand chapeau dont rêve toute femme véritable et libérée.

J'ai tâché de vous présenter divers types de chansons qui, à l'exception de celle de Séville, correspondent à un modèle régional caractéristique du point de vue mélodique, des chansons qui n'ont pas reçu d'influence, des

melodías fijas que no pueden viajar nunca. Las canciones que viajan son canciones cuyos sentimientos permanecen en un equilibrio tranquilo y que tienen cierto aire universal. Son canciones escépticas, hábiles para cambiar el matemático traje del ritmo, flexibles para el acento y neutrales para la temperatura lírica. Cada región tiene un núcleo melódico fijo e insobornable y un verdadero ejército de canciones peregrinas que circulan por donde pueden y que van a morir fundidas en el último límite de su influencia.

Existe un grupo de canciones asturianas y gallegas que, teñidas de verde, húmedas, descienden a Castilla, donde se estructuran rítmicamente y llegan hasta Andalucía, donde adquieren el modo andaluz y forman el raro canto de montaña granadino.

La siguiriya gitana del cante jondo, la más pura expresión de la lírica andaluza, no logra salir de Jerez o de Córdoba, y, en cambio el bolero, melodía neutra, se baila en Castilla y aun en Asturias. Hay un bolero auténtico en Llanes, recogido por Torner.

Los alalás gallegos golpean noche y día los muros de Zaragoza sin poder penetrarla y, en cambio, muchos acentos de muñeira circulan

mélodies fixes qui ne peuvent jamais voyager. Les chansons qui voyagent sont des chansons dont les sentiments demeurent dans un équilibre stable, et qui ont un certain air universel. Ce sont des chansons sceptiques, habiles à changer le vêtement mathématique du rythme, flexibles quant à l'accent et neutres pour ce qui est de la température lyrique. Chaque région a son noyau mélodique fixe et inaliénable et une véritable légion de chansons nomades qui circulent là où elles le peuvent et qui vont mourir en fusionnant à la dernière limite de leur influence.

Il existe un groupe de chansons asturiennes et galiciennes qui, tout humides et teintées de vert, descendent vers la Castille, où elles prennent leur structure rythmique et parviennent jusqu'en Andalousie, où elles acquièrent le ton andalou et composent le chant singulier des montagnes de Grenade.

La *séguedille* gitane du *cante jondo*, la plus pure expression de la poésie andalouse, ne réussit pas à sortir de Xérès ou de Cordoue, et, en revanche, le boléro, mélodie neutre, se danse en Castille, et même dans les Asturies. Il existe un authentique boléro à Llanes, que Torner a recueilli.

Les *alalás*, de Galice frappent nuit et jour aux murailles de Zamora sans pouvoir pénétrer dans la ville et, en revanche, de nombreux accents de

por las melodías de ciertas danzas rituales y cantos de los gitanos del Sur. Las sevillanas que llegan intactas hasta Túnez, llevadas por los moros de Granada, ya sufren un cambio total de ritmo y de carácter al llegar a la Mancha, y no logran pasar del Guadarrama.

En las mismas nanas de que hablo, Andalucía influye por el mar, pero no logra llegar al Norte, como en otras clases de canciones. El modo andaluz de la nana tiñe el bajo Levante, hasta algún vou-vei-vou balear, y por Cádiz llega hasta Canarias, cuyo delicioso arrolo es de indudable acento bético.

Podríamos hacer un mapa melódico de España, y notaríamos en él una fusión entre las regiones, un cambio de sangres y jugos que veríamos alternar en las sístoles y diástoles de las estaciones del año. Veríamos claro el esqueleto de aire irrompible que une las regiones de la Península, esqueleto en vilo sobre la lluvia, con sensibilidad descubierta de molusco, para recogerse en un centro a la menor invasión de otro mundo, y volver a manar fuera de peligro la viejísima y compleja sustancia de España.

muñeira circulent dans les mélodies de certaines danses rituelles et dans les chants des Gitans du Sud. Les danses sévillanes qui parviennent intactes jusqu'à Tunis, apportées par les Maures de Grenade, subissent un changement total de rythme et de caractère en arrivant à la Manche et ne réussissent pas à passer le Guadarrama.

Dans ces berceuses dont je parle, l'Andalousie exerce son influence par la mer, mais n'arrive pas à toucher le Nord, comme dans d'autres genres de chansons. La modalité andalouse des berceuses imprègne le sud du Levant, marque parfois un *vou-veri-vou* des Baléares, et en passant par Cadix, parvient jusqu'aux Canaries, dont le délicieux *arrolo* a un indéniable accent venu d'Andalousie.

On pourrait dessiner une carte mélodique de l'Espagne, et l'on y observerait une fusion entre les régions, un échange de sang et d'humeurs que l'on verrait alterner dans les systoles et les diastoles des saisons. On verrait clairement le squelette d'air incassable qui unit les régions de la Péninsule, squelette suspendu au-dessus de la pluie, avec une sensibilité à nu de mollusque, prêt à se refermer sur son centre à la moindre invasion d'un autre monde, et à diffuser de nouveau, une fois le danger passé, la très ancienne et complexe substance de l'Espagne.

AVANT DE SAUTER DANS LA VIE

Pour Nicolas et Mathilde, mes enfants.

QUAND le poète s'endort, le livre commence. Federico García Lorca ne raconte pas le baiser du soir, tant attendu, mais des berceuses chantées par de modestes nourrices qui donnent "dans la blancheur de [leur] lait rustique la quintessence du pays". Car dans toutes ses conférences, Lorca cherche à définir ce qui fait l'Espagne, l'Andalousie et sa ville de Grenade, à travers le temps. Ses préoccupations s'inscrivent dans l'effervescence et le trouble des années 1920. Pour avoir accès aux époques révolues, le poète a recours à l'art vivant, celui qui passe par le corps et par le sang et n'est pas figé dans les vieilles pierres. Il en privilégie deux formes : les chansons et les confiseries – ce sont des délices aux amandes et au miel, pas des madeleines. En fait, cette réflexion a pour point de départ le caractère pathétique, voire cruel, que Lorca attribue aux berceuses espagnoles. Il étudie les mécanismes capables d'endormir un enfant avec les éléments que sont la crainte du Croquemitaine, la fuite ou au contraire le repli sur soi, combinés au rythme de la musique et à l'indispensable intervention des fées. Ces chansons sont magiques et le poète – qui est aussi musicien – veut en transmettre l'émotion plutôt que l'érudition, en chantant lui-même des extraits choisis et en s'accompagnant au piano. Ici, Lorca est tour à tour femme pauvre et petit enfant, tous deux associés dans la mise en scène minuscule qu'est la berceuse.

D'ailleurs, dans sa "Trilogie théâtrale de la terre d'Espagne", Lorca donne une place de choix à certaines berceuses évoquées ici : celle du cheval dans *Noces de sang* (1933), celle de la maisonnette dans *Yerma* (1934), avec une autre variante dans la *Maison de Bernarda Alba* (1936). Si l'on sent dans cette conférence le poète solidaire des femmes, comme toujours, on perçoit aussi les sensations de l'enfant qui refuse de s'endormir et on le comprend car Lorca dit qu'en Espagne "qui veut sauter dans le sommeil se blesse les pieds sur le fil d'un rasoir".

Or, en 1928, il se trouve lui-même, à trente ans, après le succès de ses *Complaintes gitanes*, dans un moment de transition. En été, il a reçu une lettre de son ami Dali l'invitant à "se jeter dans le vide", à abandonner la rime et toute esthétique et l'on sait combien l'avis du peintre comptait pour Lorca. Dali est cité dans notre texte et il est présent aussi dans nombre d'images empruntées à sa peinture : mollusques, éléphants, fourmis dévorant un cadavre.

Cette conférence semble exprimer le désir et la peur d'abandonner le cadre rassurant de la Résidence des Etudiants, vivier artistique dans lequel se sont rencontrés les poètes, penseurs et créateurs de la Génération de 1927. Le poète s'y est attardé pendant dix ans, alors que tous ses camarades sont déjà partis.

Lorca réalise enfin la rupture l'année suivante, lors de son voyage outre-Atlantique. Il en rapporte le recueil d'avant-garde *Poète à New York* qui désarçonne encore les lecteurs d'aujourd'hui.

FEDERICO GARCÍA LORCA annonce en janvier 1928 dans une lettre à Melchor Fernández Almagro la préparation d'une conférence sur le "pathétisme des berceuses espagnoles". Il la prononce effectivement le 13 décembre de cette même année à la Résidence des Etudiants de Madrid puis à deux reprises en 1930 : à New York en janvier et en mars à la Havane. Le texte en est publié pour la première fois à Buenos Aires en 1942 dans les *Œuvres complètes* parues aux éditions Losada, à partir d'une copie transmise par le poète cubain Félix Lizaso à l'éditeur. On y indique que le texte n'était pas destiné à la publication, ce qui explique quelques répétitions ou imperfections, maintenues cependant pour en conserver la spontanéité. Le titre le plus couramment adopté est *Les Berceuses* (*Las Nanas infantiles*), Christopher Maurer (Alianza, 1984) reprend l'intitulé du carton d'invitation de 1928 : *Añada, Arrolo, Vou, veri vou. Berceuses espagnoles* (*Añada, Arrolo, Vou, veri vou. Canciones de cuna españolas*).

Il existe deux traductions françaises de cette conférence, l'une de Jean Viet (Seghers, 1947) et l'autre d'André Belamich (Gallimard, 1960). Nous offrons ici une traduction nouvelle et sa première édition bilingue.

L.A.

ACHEVÉ D'IMPRIMER
DANS L'UNION EUROPÉENNE
POUR LE COMPTE DES ÉDITIONS ALLIA
EN MARS 2009

ISBN : 978-2-84485-310-3
DÉPÔT LÉGAL : MARS 2009